Cloé et Alix

Amies en mission

SCOTT HIGGS

Texte français de Marie Frankland

Éditions Scholastic

Pour Alexa
— S.H.

Les illustrations ont été dessinées manuellement à l'encre, puis numérisées,
et enfin coloriées et ombrées au moyen de Photoshop.

Le texte a été composé en caractères Maiandra GD.

Catalogage avant publication de Bibliothèque et Archives Canada
Higgs, Scott
[Friends to the rescue. Français]
Amies en mission / texte et illustrations de Scott Higgs; texte français
de Marie Frankland.
(Cloé et Alix)
Traduction de : Friends to the rescue.
ISBN-13 : 978-0-439-94751-0
ISBN-10 : 0-439-94751-0
I. Frankland, Marie, 1979- II. Titre. III. Titre : Friends to the rescue.
Français. IV. Collection : Higgs, Scott Cloé et Alix.
PS8615.I38F7514 2007   jC813'.6   C2006-905308-1

Édition publiée par les Éditions Scholastic, 604, rue King Ouest,
Toronto (Ontario) M5V 1E1 CANADA.

6 5 4 3 2 1   Imprimé au Canada   07 08 09 10 11

Même si Alix et Cloé sont très différentes, il n'y a aucun doute :

elles sont les meilleures amies du monde.

Elles jouent ensemble tous les jours.
Parfois, Alix choisit le jeu.

Parfois, c'est Cloé.

Peu importe qui choisit, les deux amies
s'amusent toujours.

Mais ce jour-là, Alix n'a pas envie
de jouer.

Cloé est étonnée.

— Qu'est-ce qui ne va pas, Alix?

— Cloé, ce n'est pas le moment
de s'amuser!

Des animaux menacés dans le
monde entier ont besoin de notre aide!

— Ne t'en fais pas, Alix,
nous allons sauver ces animaux!

Cloé se met au travail. Il leur faut tout un équipement.

Alix se charge de trouver
les vêtements appropriés.

Les filles remplissent le chariot d'Alix et
partent à la recherche d'animaux en danger.

Elles n'ont pas à aller bien loin.

Voilà Frisco, le chat du voisin.
Il se promène en haut d'une clôture
très étroite.

— Cloé, Frisco est en danger. Il pourrait tomber. Je crois qu'il est menacé.

— Tu as raison, Alix.
Nous devons l'aider!

Les filles installent délicatement Frisco
dans le chariot d'Alix.

— Tu es maintenant à l'abri, Frisco.

Au début, Frisco ne veut
pas rester à l'abri.

Mais Cloé trouve de la viande
séchée dans sa poche, et Frisco
aime bien ça.

Dans la cour juste à côté, les filles
voient Clown, le chien
de madame Laroche.

— Oh, non! Clown est attaché à un
arbre! Il va sûrement s'étrangler!

Cloé et Alix sauvent Clown.

Flocon et Biscuit demeurent dans
la cour juste à côté de chez Clown.
Cloé n'aime pas leur cage.

— Il y a des courants d'air ici.
Ces lapins vont attraper froid.

Même les lapins peuvent
être menacés.

Les filles trouvent des animaux à sauver partout dans le quartier.

Elles sont étonnées de voir combien d'amis peuvent entrer dans le chariot d'Alix.

Mais pas aussi étonnées que
le père d'Alix.

La mère d'Alix leur explique que
ces animaux ne sont pas menacés.
— Les espèces menacées vivent
à l'état sauvage.

Cloé et Alix réfléchissent un moment.
Elles décident qu'elles veulent
toujours aider.

— Nous pouvons amasser des fonds
pour les animaux sauvages!

Alix suggère une vente de gâteaux.

— Nous pouvons
vendre des choux à
la crème et des
doigts de dame!

Cloé préfère un rodéo ou
une course de carambolage.

Alors, Alix a une idée.
Elles organisent un lave-o-thon.

C'est une très bonne idée...

Bien qu'aucun des animaux du
quartier n'ait besoin d'être sauvé,

plusieurs d'entre eux ont besoin
d'un bon bain.

Tout l'après-midi, les filles baignent et frottent, caressent et peignent.

À la fin de la journée, les animaux sont tout contents d'être propres. Les voisins sont ravis de retrouver leurs compagnons.

Et Cloé et Alix rayonnent de
bonheur : elles ont aidé les animaux.